义务教育教科书

S0-BVT-037

数学

二年级

上册

人民教育出版社 课程教材研究所
小学数学课程教材研究开发中心 | 编著

人民教育出版社
·北京·

主　　编：卢　江　杨　刚

副主编：王永春　陶雪鹤

主要编写人员：梁秋莲　李光树　陶雪鹤　王永春　丁国忠　张　华　周小川
　　　　　　　熊　华　刘　丽　刘福林

责任编辑：刘　丽

美术编辑：郑文娟

封面设计：吕　旻　郑文娟

版式设计：北京吴勇设计工作室

插　　图：北京吴勇设计工作室（含封面）

义务教育教科书　数学　二年级　上册

人民教育出版社　课程教材研究所
　　　　　　　　　　　　　　　　　编著
小学数学课程教材研究开发中心

出　　版　人民教育出版社

　　　　　（北京市海淀区中关村南大街 17 号院 1 号楼　邮编：100081）

网　　址　http://www.pep.com.cn

重　　印　海峡出版发行集团有限责任公司

发　　行　福　建　省　新　华　书　店

印　　刷　福建新华印刷有限责任公司

版　　次　2013 年 6 月第 1 版

印　　次　2018 年 6 月第 6 次印刷

开　　本　787 毫米×1092 毫米　1/16

印　　张　7

字　　数　140 千字

印　　数　1 - 300,000 册

书　　号　ISBN 978-7-107-26359-0

定　　价　7.00 元

编者的话

亲爱的小朋友：

　　暑假结束了，你们没有忘记聪聪和明明吧？他们会继续与你们一起探索数学。

用乘法算式表示真简便！

$$2+2+2+2+2+2+2=14（人）$$
$$2×7=14（人）$$
$$或\ \ 7×2=14（人）$$

这是直角吗？

我来比一比。

他们看到的分别是什么样子？

　　让我们一起，进入神奇的数学王国吧！

编者

2013 年 5 月

目　录

1 长度单位 　2

2 100 以内的加法和减法（二） 　11

3 角的初步认识 　38

4 表内乘法（一） 　46

5 观察物体（一） 　68

6 表内乘法（二） 72

★ 量一量，比一比 88

7 认识时间 90

8 数学广角
——搭配（一） 97

9 总复习 100

1 长度单位

很久以前，人们用身体的一部分作为测量长度的单位。

用拃（zhǎ）作单位量一量课桌的长。

有 5 拃长。

有 3 拃长。

量的都是课桌的长，为什么量的结果不一样呢？

这就需要统一长度单位。

2 尺子是测量长度的工具，尺子上的"厘米"就是一个统一的长度单位。

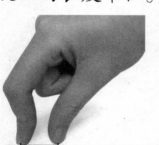

这是1厘米，像这样比画一下1厘米的长度。

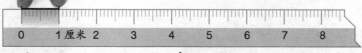

厘米可以用"cm"表示。

哪些物体的长度大约是1厘米？

食指宽
大约1厘米

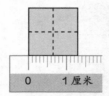

田字格宽
大约1厘米

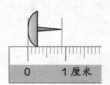

图钉的长
大约1厘米

量比较短的物体，可以用"厘米"作单位。

3 量一量下面纸条的长度。

（　　）厘米

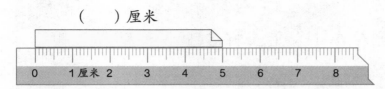

把尺的刻度0对准纸条的左端，再看纸条的右端对着几。

看一看，铅笔长（　　）厘米。

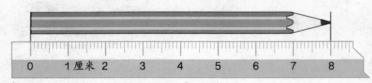

4

量比较长的物体，通常用"米"作单位。米可以用"m"表示。

5 在米尺上看看1米里面有多少个1厘米。

$$1 米 = 100 厘米$$

拿一根绳子，量出1米、2米……给大家看。

6 拉紧的一段线，可以看作一条线段。

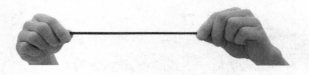

黑板边、桌子边、书边都可以看成线段。

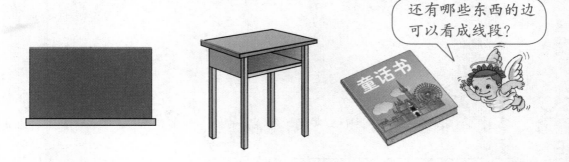

> 还有哪些东西的边可以看成线段？

下面这些都是线段。

线段是直的，可以量出长度。量出上面的线段长几厘米。

做一做

1. 指出下面哪些是线段。

2. 连接每两个点画线段，一共画出了几条线段？你能看出画出的是什么图形吗？

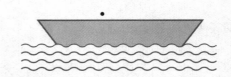

7 画一条3厘米长的线段。

从尺的刻度0开始画起，画到3厘米的地方。

做一做

1. 画出一条和下面同样长的线段。

2. 在距离 ⚑ 3厘米处画一朵 🌼 ，5厘米处画一棵 🌳 ，
   10厘米处画一个 🎈 。

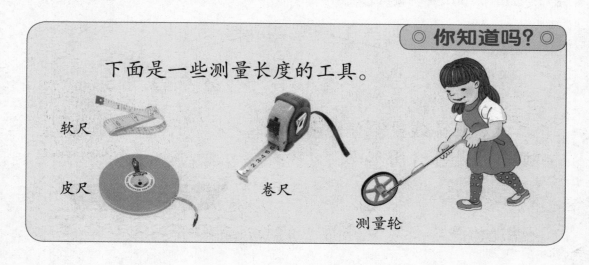

8 一根旗杆的高度是 13 厘米还是 13 米？

要解决什么问题？

判断旗杆高 13 厘米还是 13 米。

怎样解答？

13 厘米就这么高，旗杆不可能这么矮。

 1 厘米这么长。

我 1 米多高，才到旗杆的这个高度。旗杆应该是 13 米高。

10 个小朋友的身高加起来差不多和旗杆一样高。

解答合理吗？

一支新铅笔都不止 13 厘米长，旗杆的高度应该是 13 米。

做一做

在括号里填上厘米或米。

 我的脚印。

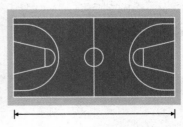

长 60（ ） 　　　长 1（ ） 　　　长 28（ ）

说说你是怎样确定括号里的长度单位的。

1. 估计下图中的实物各有几厘米长，再量一量。

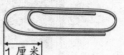

估计：（　　）厘米　　　　估计：（　　）厘米

测量：（　　）厘米　　　　测量：（　　）厘米

2. 照样子量一量，填一填。

 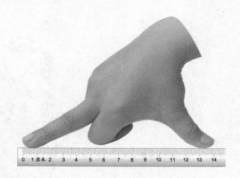 

一步长约

手掌宽约（　　）厘米　　1拃长约（　　）厘米　　（　　）厘米

3. 量一量，填一填。

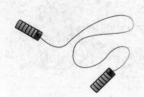

大约（　　）支长1米　　　　大约（　　）根长1米

4. 在合适答案后的 □ 里画"✓"。

比1米长 □　　　比1米高 □　　　比1米长 □

比1米短 □　　　比1米矮 □　　　比1米短 □

5. 量一量。

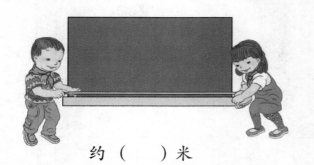

约（　　）米　　　　　　　　（　　）米（　　）厘米

6. 先估计，再用尺量。

量长方形和正方形，你发现了什么？

7. 看看哪条线段长，再量一量。

②　　　　　　①

8. 下面的长度单位对吗？把不对的改正后写在括号里。

（1）数学书长 26 米。　　　　　　　　　（　　　　　）

（2）灯管长 50 厘米。　　　　　　　　　（　　　　　）

（3）房间高 3 厘米。　　　　　　　　　（　　　　　）

（4）字典厚 6 米。　　　　　　　　　（　　　　　）

（5）大树高 8 米。　　　　　　　　　（　　　　　）

（6）教室长 10 厘米。　　　　　　　　　（　　　　　）

9. 圈出合适的答案。

估计	比 10 厘米 长　　短	比 1 米 宽　　窄	比 1 米 长　　短
测量	比 10 厘米 长　　短	比 1 米 宽　　窄	比 1 米 长　　短

10. 谁说得对？在括号里画"✓"。

大约 5 厘米长。

长 5 厘米。

长 4 厘米。

（　　）　　　　（　　）　　　　（　　）

11. 量一量，乌龟要爬（　　　）厘米就能吃到小鱼。

请你提出一个数学问题并解答。

本单元结束了，
你想说些什么？

我知道 1 厘米和
1 米到底有多长了。

成长小档案
★

我知道为什么要
统一长度单位了。

2　100 以内的加法和减法（二）

1. 加法

1

二（1）班学生和本班的带队老师一共多少人？

$$35+2=\underline{\qquad}$$

你能口算吗？

也可以写成竖式，用笔算。

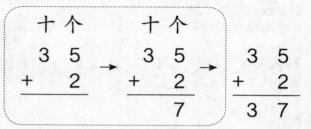

十 个		十 个			
3 5	→	3 5	→	3 5	
+ 2		+ 2		+ 2	
		7		3 7	

个位与个位对齐。

做一做

1. $32+6=$ $24+3=$ $5+43=$

```
   3 2          (    )          5
+(    )       +(    )       +(    )
───────       ───────       ───────
  (    )        (    )        (    )
```

想：怎样对位？

2.

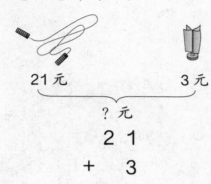

21元 3元   4元 33元

? 元   ? 元

```
  2 1              4
+   3           +(    )
───────        ───────
```

2 二（1）班和二（2）班一共有多少名学生？

35+32=_____

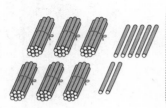

十 个	十 个	
3 5	3 5	3 5
+ 3 2	+ 3 2	+ 3 2
	7	6 7

相同数位要对齐。

上面的竖式，是从哪位加起的？
你是怎样算的？

做一做

1. 摆一摆，算一算。

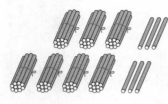

```
  (     )
+ (     )
--------
  (     )
```

2. 24+61=   53+22=   37+40=

```
   2 4              (     )            (     )
+ (   )          +  2 2            + (     )
--------          --------          --------
 (     )          (     )            (     )
```

3 二（1）班和二（3）班一共有多少名学生？

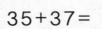

35+37=_____

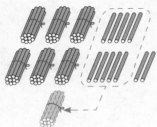

$$
\begin{array}{r}
3\ 5 \\
+\ 3_1\ 7 \\
\hline
2
\end{array}
$$ →
$$
\begin{array}{r}
3\ 5 \\
+\ 3_1\ 7 \\
\hline
7\ 2
\end{array}
$$

个位上 5 加 7 得 12，
向十位进 1，个位写 2。

个位相加满十，
向十位进 1。

做一做

56+37=
$$
\begin{array}{r}
5\ 6 \\
+\ 3\ 7 \\
\hline
(\quad)
\end{array}
$$

46+24=
$$
\begin{array}{r}
4\ 6 \\
+\ 2\ 4 \\
\hline
(\quad)
\end{array}
$$

29+5=
$$
\begin{array}{r}
(\quad) \\
+(\quad) \\
\hline
(\quad)
\end{array}
$$

想：个位上 6 加 7 得
（　），该怎样写？

想：个位上 6 加 4 得
（　），该怎样写？

$$
\begin{array}{r}
1\ 8 \\
+8\ 1 \\
\hline
9\ 9
\end{array}
\qquad
\begin{array}{r}
2\ 7 \\
+7\ 2 \\
\hline
9\ 9
\end{array}
$$

左边的算式有什么规律？这样的算式你还能写出几个？

练习二

1.
$$\begin{array}{r} 8\,6 \\ +\ \ 3 \\ \hline \end{array} \qquad \begin{array}{r} 4 \\ +5\,4 \\ \hline \end{array} \qquad \begin{array}{r} 2\,9 \\ +4\,0 \\ \hline \end{array} \qquad \begin{array}{r} 5\,2 \\ +4\,6 \\ \hline \end{array} \qquad \begin{array}{r} 1\,7 \\ +7\,1 \\ \hline \end{array}$$

2. 计算。

$30+20=$ $\qquad$ $50+26=$ $\qquad$ $92+4=$ $\qquad$ $61+25=$

$35+32=$ $\qquad$ $3+45=$ $\qquad$ $13+72=$ $\qquad$ $44+53=$

3. 小兰喜欢收集邮票，下面是她收集邮票的种类和数量。

种类	风景	人物	动物	建筑
枚数	31	22	14	10

（1）风景邮票和人物邮票共有多少枚？

（2）动物邮票和建筑邮票共有多少枚？

（3）你还能提出其他数学问题并解答吗？

4.
$$\begin{array}{r} 4\,7 \\ +1\,6 \\ \hline \end{array} \qquad \begin{array}{r} 2\,3 \\ +1\,7 \\ \hline \end{array} \qquad \begin{array}{r} 6\,4 \\ +\ \ 9 \\ \hline \end{array} \qquad \begin{array}{r} 3\,9 \\ +2\,7 \\ \hline \end{array} \qquad \begin{array}{r} 1\,8 \\ +3\,3 \\ \hline \end{array}$$

5. 下面的计算对吗？把不对的改正过来。

$$\begin{array}{r} 4\,9 \\ +4\,4 \\ \hline 8\,3 \end{array}$$

$$\begin{array}{r} 2\,1 \\ +3\,9 \\ \hline 6 \end{array}$$

$$\begin{array}{r} 2\,7 \\ +4 \\ \hline 6\,7 \end{array}$$

6. ☐ 里应该填几？

$26+48=\boxed{}4 \qquad 39+14=\boxed{}3 \qquad 60+39=\boxed{}9$

$37+12=\boxed{}9 \qquad 54+16=\boxed{}0 \qquad 45+8=\boxed{}3$

7. 计算。

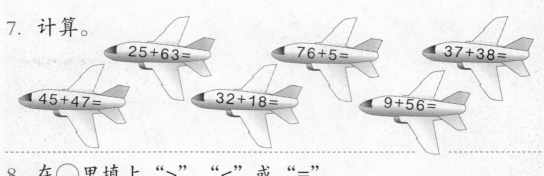

25+63=　　76+5=　　37+38=

45+47=　　32+18=　　9+56=

8. 在○里填上"＞""＜"或"＝"。

4+38 ○ 40+38　　76+21 ○ 99-5　　67+9 ○ 69+7

83-3 ○ 83-8　　57-5 ○ 38+17　　25+47 ○ 35+35

9. 采蘑菇。

60

83

75+5　　64+7　　34+35　　83+7

56+27　　28+44　　42+18　　63+9　　35+48

71+19　　42+16　　23+67

72

90

10. 算出每张卡片上两个数的和。

| 47 | 21 | 3 | 16 | 75 | 83 | 34 |
| 38 | 69 | 56 | 25 | 7 | 13 | 59 |

11.

23元　　　　14元　　　　27元　　　　30元

（1）小华买一辆玩具汽车和一枚玩具火箭，一共要
用多少钱？

（2）小玲有50元钱，可以买哪几样玩具？

（3）你还能提出其他数学问题并解答吗？

2. 减法

奥运金牌榜

2008年北京奥运会金牌榜前5名如下表。

名次	代表团	金牌数
1	中 国	51
2	美 国	36
3	俄罗斯	23
4	英 国	19
5	德 国	16

中国金牌数第一。

不退位减

1

代表团	金牌数
美 国	36
俄罗斯	23

> 美国比俄罗斯多多少枚金牌?

$$36-23=\underline{\qquad}$$

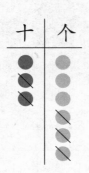

十	个

$$
\begin{array}{r} 3\ 6 \\ -\ 2\ 3 \\ \hline \end{array}
\rightarrow
\begin{array}{r} 3\ 6 \\ -\ 2\ 3 \\ \hline 3 \end{array}
\rightarrow
\begin{array}{r} 3\ 6 \\ -\ 2\ 3 \\ \hline 1\ 3 \end{array}
$$

列竖式计算应注意什么?

做一做

1.

十	个

$$45-3=\underline{\qquad}$$

$$
\begin{array}{r} 4\ 5 \\ -\ (\quad) \\ \hline (\quad\quad) \end{array}
$$

十	个

$$64-\underline{\qquad}=\underline{\qquad}$$

$$
\begin{array}{r} (\quad\quad) \\ -\ (\quad\quad) \\ \hline (\quad\quad) \end{array}
$$

2.

$$48-18=\underline{\qquad}$$

$$
\begin{array}{r} 4\ 8 \\ -\ 1\ 8 \\ \hline (\quad\quad) \end{array}
$$

$$25-21=\underline{\qquad}$$

$$
\begin{array}{r} 2\ 5 \\ -\ 2\ 1 \\ \hline (\quad\quad) \end{array}
$$

想: 个位上得几? 怎样写?　　想: 十位上得几? 怎么办?

退位减

2

代表团	金牌数
中 国	51
美 国	36

中国比美国多多少枚金牌?

$$51-36=\underline{}$$

个位上1减6不够减,怎么办?

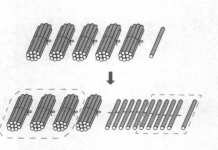

$$
\begin{array}{r}
\overset{4}{\cancel{5}}\ \overset{11}{\cancel{1}} \\
-\ 3\ 6 \\
\hline
1\ 5
\end{array}
\rightarrow
\begin{array}{r}
5\ 1 \\
-\ 3\ 6 \\
\hline
1\ 5
\end{array}
$$

个位上1减6不够减,从十位退1,是10,11减6得5。

个位不够减,从十位退1。

想一想:从十位减起方便吗?

3 $50-24=\underline{}$

$$
\begin{array}{r}
5\ 0 \\
-\ 2\ 4 \\
\hline
(\qquad)
\end{array}
$$

想:从十位退1后,个位要算几减几?

做一做

$$
\begin{array}{r}
6\ 5 \\
-\ 3\ 7 \\
\hline
(\qquad)
\end{array}
\qquad
\begin{array}{r}
4\ 3 \\
-\ \ \ 8 \\
\hline
(\qquad)
\end{array}
\qquad
\begin{array}{r}
3\ 0 \\
-\ 2\ 3 \\
\hline
(\qquad)
\end{array}
\qquad
\begin{array}{r}
8\ 0 \\
-\ \ \ 5 \\
\hline
(\qquad)
\end{array}
$$

1. 98−80=   98−8=   98−88=
     9 8   9 8   (   )
   −(   )   −(   )   −(   )
   ————————   ————————   ————————

2. 计算。
   39−23=   74−34=   99−14=   57−26=

3. 捡贝壳。

我捡了 21 个。　　我捡了 32 个。

小勇　　　　　小英

小英比小勇
多捡了多少
个贝壳？

4. 计算。
   43−29=   72−27=   61−3=   54−16=

5. 下面各题差的十位上是几？

94−24=□0   91−25=□6   88−72=□6   80−7=□3

6. 下面的计算对吗？把不对的改正过来。

$$\begin{array}{r} 40 \\ -28 \\ \hline 22 \end{array}$$

$$\begin{array}{r} 83 \\ -35 \\ \hline 48 \end{array}$$

$$\begin{array}{r} 79 \\ -67 \\ \hline 2 \end{array}$$

$$\begin{array}{r} 53 \\ -\ 4 \\ \hline 57 \end{array}$$

7. 计算。

$54-27=$ $66-49=$ $43-37=$ $95-63=$

$72-9=$ $36-28=$ $87-38=$ $54-36=$

8. 找妈妈。

9. 先算出每张卡片上两个数的和，再算出它们的差。

| 45 | 53 | 62 | 51 | 70 | 44 |
| 27 | 9 | 25 | 36 | 19 | 38 |

和：____   ____   ____   ____   ____   ____

差：____   ____   ____   ____   ____   ____

10.

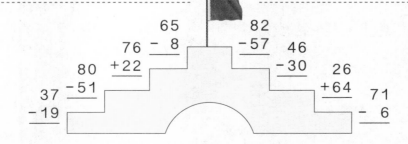

11.

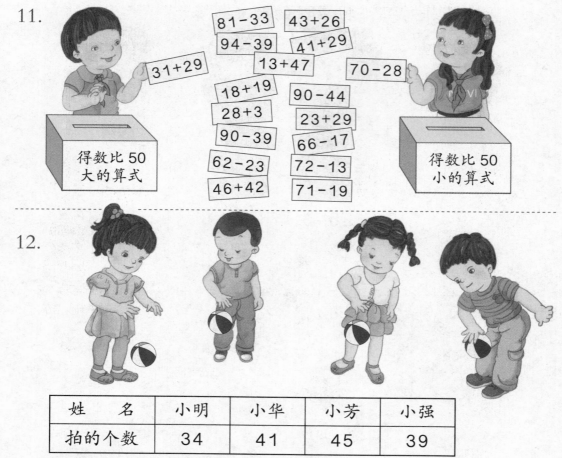

12.

姓　　名	小明	小华	小芳	小强
拍的个数	34	41	45	39

（1）小明比小华少拍多少个？

（2）小芳和小强一共拍了多少个？

（3）你能提出其他数学问题吗？选择两个列式算一算。

13. 按规律填一填。

（1）24，32，40，____，56，____，____。

（2）93，86，79，____，65，____，____。

14* 在 ▢ 里填上合适的数。

$$\begin{array}{r} 5\,▢ \\ +\,▢\,4 \\ \hline 8\ 7 \end{array}$$

$$\begin{array}{r} ▢\,7 \\ -\,2\,▢ \\ \hline ▢\ 2 \end{array}$$

$$\begin{array}{r} ▢\,▢ \\ -\,2\,▢ \\ \hline 6\ 8 \end{array}$$

4

（1）一班得了 12 面小红旗，二班比一班多得 3 面。二班得了多少面？

知道了什么？

一班得了 12 面小红旗，二班比一班多得了 □ 面。

要求二班得了多少面。

怎样解答？

把知道的先画出来。

一班 ▷▷▷▷▷▷▷▷▷▷▷▷

二班 [与一班同样多的12面] ▷▷▷
　　　　　　　?面

12+3=15（面）

一看就知道，求二班的小红旗就是要把和一班同样多的与多的 3 面合起来。

解答正确吗？

15 减 12 等于 3，二班确实比一班多得了 3 面，解答正确。

口答：二班得了 □ 面。

（2）三班的小红旗比一班少 4 面，三班得了多少面？

知道了什么？

一班得了 ☐ 面小红旗，三班比一班少得了 ☐ 面。

要求……

怎样解答？

照第（1）题的方法画一画。

哦，我知道了，应该用 ☐ 法计算。

一班 ⊢ PPPPPPPP PPPP

三班 ☐ ?面

少 4 面

12-4=8（面）

解答正确吗？

12 减 8 等于 4，三班确实比一班少得 4 面，解答正确。

口答：三班得了 ☐ 面。

做一做

鸡蛋比鸭蛋多 8 个，鹅蛋比鸭蛋少 12 个。

鸭蛋 25 个

鹅蛋

鸡蛋

鸡蛋有多少个？鹅蛋呢？

练 习 四

1.

我下了86个蛋。

我比你多下了9个哦！

东东

西西

西西下了多少个蛋？

2.

人工野鸭岛今年有53只野鸭，去年比今年少18只。去年有多少只？

3. 我国发射的神舟七号宇宙飞船绕地球飞行了45圈。

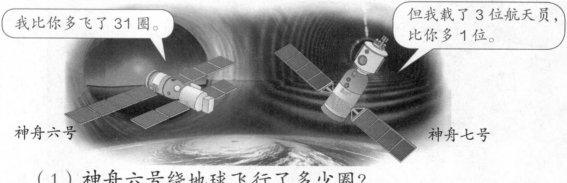

我比你多飞了31圈。

但我载了3位航天员，比你多1位。

神舟六号

神舟七号

（1）神舟六号绕地球飞行了多少圈？

（2）你还能提出其他数学问题并解答吗？

4. 69+21=　　　　70-25=　　　　18+23=　　　　65+6=

42-24=　　　　53+30=　　　　90-8=　　　　81-37=

5. 下面是申办 2008 年奥运会 4 个城市的得票数。

城市	北京	多伦多	巴黎（lí）	伊斯坦布尔
票数	56	22	18	9

（1）多伦多比北京少得多少票？

（2）你还能提出其他数学问题吗？选择两个列式算一算。

6.

32 元

我想买 1 本，还差 15 元。

小玉

小玉已经攒了多少钱？

7.

39 元

58 元

45 元

国庆促销，每个球可以优惠 8 元。

"优惠 8 元"是什么意思呢？

（1）每个足球多少钱？

（2）每个篮球多少钱？

（3）你还能提出其他数学问题并解答吗？

8.*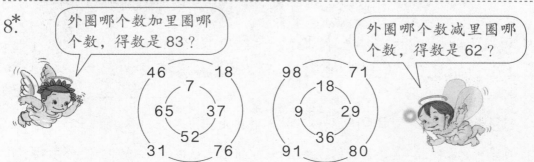

外圈哪个数加里圈哪个数，得数是 83？

外圈哪个数减里圈哪个数，得数是 62？

46 18
7
65 37
52
31 76

98 71
18
9 29
36
91 80

3. 连加、连减和加减混合

1

第一组	第二组	第三组
28 个	34 个	22 个

一共摘了多少个？

$$28+34+22=84$$

```
  2 8          6 2       简便写法：      2 8              2 8
+ 3₁4        + 2 2                     + 3₁4              3 4
─────        ─────                     ─────           + 2₁2
  6 2          8 4                       6 2       10     ────
                                      + 2 2              8 4
                                      ─────
                                        8 4
```

2 共有 84 个大南瓜，李大爷运走了 40 个，王叔叔运走了 26 个。还剩多少个？

$$84-40-26=\underline{\qquad}$$

```
  8 4          4 4
- 4 0        - 2 6
─────        ─────
  4 4        (    )
```

84-40=44 能口算，可以不写竖式。

还可以先算一共运走多少个。怎么列式呢？

1. 54+20+16=   46+25+17=   7+59+20=

2. 90-58-30=   75-28-19=   72-(6+44)=

3

又上去了28人。

南山站

下来了25人。

车上原来有67人，现在有多少人？

67-25+28=＿＿＿

```
    6 7        (   )    简便写法：      6 7
  - 2 5      + 2 8                    - 2 5
  ───────    ───────                  ───────
  (    )     (    )                   (    )
                                    + 2 8
                                      ───────
                                      (    )
```

4 72-(47+16)=＿＿＿

```
    4 7        7 2
  + 1 6      - 6 3
  ───────    ───────
    6 3      (    )
```

有简便写法吗？

1. 56+34-20=

   78-24+39=

2. 32+(55-46)=

   86-(13+42)=

1. 把在同一条线上的 3 个数加起来。

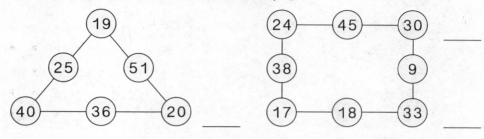

2. 56−12−17=　　　67−37−14=　　　40−23−12=

   87−26−39=　　　70−28−35=　　　100−80−8=

3. 算出红星小学参加 3 项体育活动的总人数。

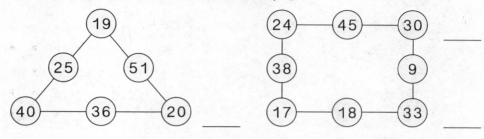			总计
28人	11人	59人	（　　）人

4. 从左往右接着算。

   (22+3)(__+15)(__+6)(__+17)(__+8)(　　)

   (96−16)(__−12)(__−23)(__−27)(__−9)(　　)

5.
```
   5 4        6 8        6 3        7 8        5 3
 + 1 8      − 4 7      + 3 5      − 3 9      + 2 7
 (     )    (     )    (     )    (     )    (     )
 − 4 1      + 7 6      − 1 7      + 5 5      −   9
 (     )    (     )    (     )    (     )    (     )
```

6. 下面的计算对吗? 把不对的改正过来。

26+(86-59)=53　　　　64-(17+28)=21

$$\begin{array}{r} 8\ 6 \\ -\ 5\ 9 \\ \hline 2\ 7 \\ +\ 2\ 6 \\ \hline 5\ 3 \end{array}$$

$$\begin{array}{r} 1\ 7 \\ +\ 2\ 8 \\ \hline 4\ 5 \end{array}$$

$$\begin{array}{r} 6\ 4 \\ -\ 4\ 5 \\ \hline 2\ 1 \end{array}$$

7. 28+35+17=　　　90-34-26=　　　69+30-45=

65-18+39=　　　26+(40-8)=　　　71-(65-43)=

8. 口算。

55+30+8=　　　56-3+9=　　　42-(6+34)=

81-7-70=　　　37+10-5=　　　74-(80-6)=

9.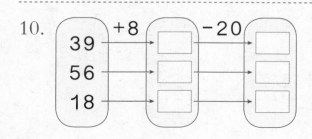

给您 50 元。

找您（　）元。

25元

8元

买一个书包和一个笔袋。

10.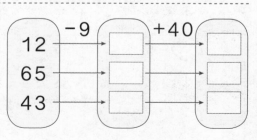

11.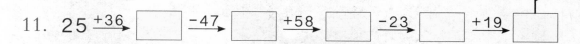

25 $\xrightarrow{+36}$ ☐ $\xrightarrow{-47}$ ☐ $\xrightarrow{+58}$ ☐ $\xrightarrow{-23}$ ☐ $\xrightarrow{+19}$ ☐ 🚩

12. 把每行、每列和每一斜行的 3 个数加起来，你发现了什么？

24	51	15
21	30	39
45	9	36

13.

文具盒的销售情况

6 月	7 月	8 月	9 月	10 月
9 个	8 个	45 个	13 个	7 个

（1）6 月～8 月共销售了多少个文具盒？

（2）你还能提出其他数学问题并解答吗？

14.* 把 16、17、18、19 这 4 个数填入 ☐ 中。

☐ + ☐ − ☐ = ☐

把 21、22、23、24、25 这 5 个数填入 ○ 里，使每条线上的 3 个数相加都得到 69。

美术兴趣小组有 14 名女生, 男生比女生少 5 人。男生有多少人? 美术兴趣小组一共有多少人?

知道了什么?

有 □ 名女生, 男生比女生少 5 人。

要解决两个问题。第一个是……

怎样解答?

男生的人数我会求。

求美术小组一共有多少人, 就要把男生人数和女生人数合起来。

男生人数:
14-5=9(人)

美术兴趣小组人数:
9+14=23(人)

解答正确吗?

口答: 男生有 □ 人, 美术兴趣小组一共有 □ 人。

做一做

一班有 33 人参加学校运动会, 二班参加的人数比一班多 4 人。二班有多少人参加? 两个班一共有多少人参加?

练 习 六

1. 育才小学一共有多少名教师？蓝天小学有 45 名教师，比育才小学少多少名？

我校有 21 名男教师，38 名女教师。

2.

我们已经做了 25 朵红花。

还要做 10 朵红花。

一共要做多少朵红花？如果再做 40 朵黄花，黄花和红花一共要做多少朵？

3.
$$48+6-29=$$ $\qquad$ $$40+23+12=$$ $\qquad$ $$59-(34-14)=$$
$$67-8+13=$$ $\qquad$ $$73-20-35=$$ $\qquad$ $$73-(20+35)=$$

4.

二（1）班有 27 幅画。

二（2）班有 36 幅。

两个班一共有多少幅画？已经贴好了 41 幅，还剩多少幅没贴好？

5.

6.

运走了 18 箱橘（jú）子。

还剩下 29 箱橘子。

一共收了多少箱橘子？还收了 43 箱柚（yòu）子，橘子和柚子一共收了多少箱？

7. 在 ◯ 里填上 ">" "<" 或 "="。

43+5 ◯ 50　　41+37 ◯ 75　　90 ◯ 19+71

73-25 ◯ 45　　79 ◯ 95-16　　89-33 ◯ 59

8.

孵（fū）小鸭需要28天。

孵小鸡比小鸭少用 7 天。

（1）孵小鸡要用多少天？

（2）孵小鹅比孵小鸡多用 9 天，孵小鹅要用多少天？

（3）你还能提出其他数学问题并解答吗？

1.

笔算加法和笔算减法要注意什么?

个位上的数相加满十……

笔算加、减法都要把相同数位对齐。

减法……

都从个位算起。

2. 先算一算,再说一说每道题是按怎样的顺序计算的。

45+19+18=　　　61-21-6=　　　37+50-47=

45+(19+18)=　　61-(21-6)=　　37+(50-47)=

把 1~9 这 9 个数按从小到大的顺序排列,中间添上一些"+""-",可以使计算的结果等于100。

12+3-4+5+67+8+9=100

现在把这 9 个数按从大到小的顺序排列,你能添上一些"+""-",使计算的结果也等于 100 吗?

9 8 7 6 5 4 3 2 1=100

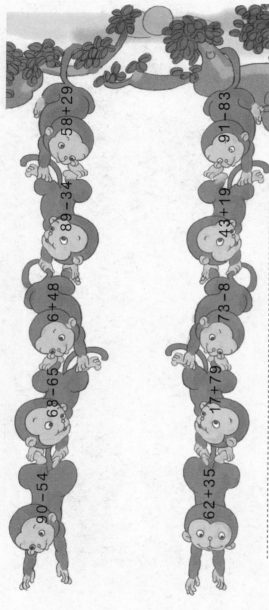

練　習　七

1. 猴子捞月亮。

58+29
91-83
89-34
43+19
6+48
73-8
68-65
17+79
90-54
62+35

2.
17+6+8=
43-(8+30)=
50+27-9=
96-(60-24)=
73-26-30=
73-(26+30)=

3. 在○里填上">""<"
   或"="。

42-8○35　　63-3○66
46-7○39　　72+9○73
28+4○34　　54+4○60

4. 一捆电线长100米，一班先用去20米，又用去38米。一共用去了多少米？二班需要40米，剩下的电线够不够？

5. 爸爸今年多少岁？妈妈比爸爸小3岁，妈妈今年多少岁？

我今年13岁。

我比你大28岁。

6.

教育大楼高 38 米。

文化大楼比教育大楼高 13 米。

文化大楼高多少米？科技大楼比文化大楼还要高 5 米，科技大楼高多少米？

7. 看谁算得都对。

$41-2=$ $16+80=$

$26+3=$ $20+39=$

$39-9=$ $82-50=$

$72-9=$ $80-4=$

$6+30=$ $18+9=$

$59-3=$ $70-40=$

8.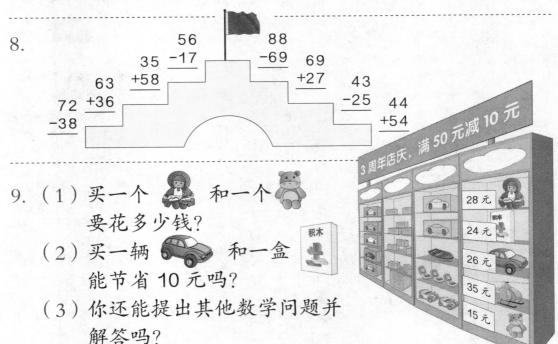

$56-17$ $88-69$

$35+58$ $69+27$

$63+36$ $43-25$

$72-38$ $44+54$

9. （1）买一个 和一个 要花多少钱？

（2）买一辆 和一盒 能节省 10 元吗？

（3）你还能提出其他数学问题并解答吗？

3 周年店庆，满 50 元减 10 元

28 元
24 元
26 元
35 元
15 元

积木

本单元结束了，你想说些什么？

$\begin{array}{r} 42 \\ -23 \\ \hline 19 \end{array}$ 我知道为什么要从个位减起了。

成长小档案

★★

我知道这个小 1 表示什么意思了。

$\begin{array}{r} 38 \\ +26 \\ \hline 64 \end{array}$

3 角的初步认识

教学楼

你能找到哪些角？

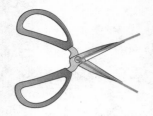  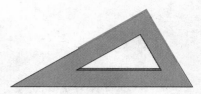

这些物品中都有角。

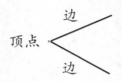 

顶点 边 边

上面的图形都是角。一个角有几个顶点？有几条边？

角越来越大。

我折的角比你的小。

2 从一个点起，用尺子向不同的方向画两条笔直的线，就画成一个角。

做一做

1. 说一说周围哪些物体的表面上有角。

2. 按照例2的方法，自己画出一个角。

3

上面这些角都是直角。

每个三角尺上都有一个直角。

要知道一个角是不是直角，可以用三角尺上的直角比一比。

你会用纸折一个直角吗？

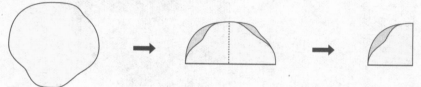

4 用三角尺可以画直角。

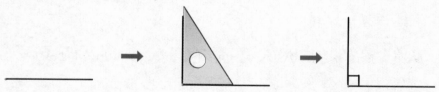

做一做

1. 用三角尺比一比教科书封面上的角是不是直角。

2. 数一数下面的图形中各有几个直角。

5 用三角尺上的直角比一比。

直角

锐角
比直角小

钝角
比直角大

每一个三角尺上都有两个锐角。

这是一个钝角。

做一做

1. 找一找周围物体的表面上有哪些角。

2. 连一连。

钝角　　　　　锐角　　　　　直角

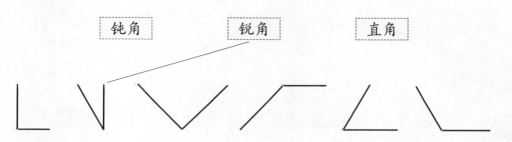

41

1. 指一指哪里有角。

2. 下面的图形哪些是角，哪些不是角？

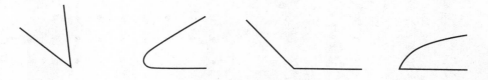

3. 下面的图形中各有几个角？

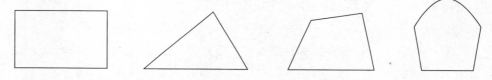

4. 打开折扇，看看角有什么变化。

5. 在两个三角尺上各选一个角，
   比一比它们的大小。

6. 下面哪些角是直角？

7. 在方格纸上画直角（从给出的点画起）。

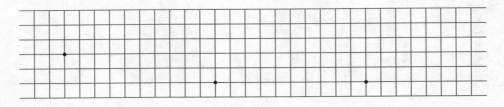

8. 照右图在钉子板上围一个
   正方形和一个长方形。

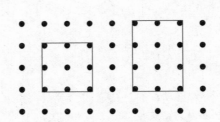

9. 在第 1 题中找出直角、锐角和钝角。

10. 找出下面三角形中的直角、锐角和钝角。

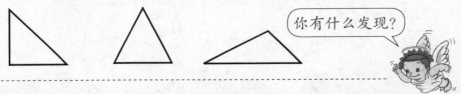

你有什么发现？

11. 画一个角，同桌之间说一说是什么角。

我画了一个锐角。

我要画一个……

钝角。

12. 在钉子板上任意围一个图形，再找出图形中的直角、锐角或钝角。

13. （1）说一说七巧板中的每块板是什么形状，上面各有哪些角。

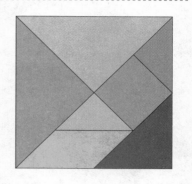

（2）比一比5块三角形板的各个角的大小，你有什么发现？

（3）用两块板拼直角，你能拼出几个？拼钝角呢？

14* 拿一个正方体的盒子，先看看每个面上有几个直角，再数一数这个正方体盒子上一共有多少个直角。再拿一个长方体的盒子，数一数，你发现了什么？

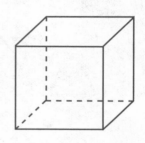

生活中的数学

本单元结束了，你想说些什么？

成长小档案

★★★

我会画角了！

我发现身边处处都有角，太有意思了！

4 表内乘法（一）

1. 乘法的初步认识

1 （1）小飞机里共有多少人？

一共有 5 个 3。

$3+3+3+3+3=15$

（2）小火车里共有多少人？

（ ）个 6

$6+6+6+6=24$

（3）过山车里共有多少人？

（ ）个（ ）

$2+2+2+2+2+2+2=14$

这种加数相同的加法，还可以用乘法表示。

乘法算式：$2×7=14$　　读作：2 乘 7 等于 14。

　或　$7×2=14$　　读作：7 乘 2 等于 14。

乘号　　　用乘法算式表示真简便！

你能把上面的其他加法算式写成乘法算式吗？

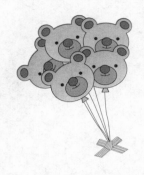

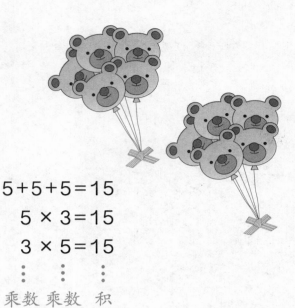

$$5+5+5=15$$
$$5 \times 3=15$$
$$3 \times 5=15$$

⋮　⋮　⋮
乘数 乘数　积

做一做

1. 先用 ╱ 摆一摆，再填写加法算式。

　　　4个2　　　　　　　　3个4　　　　　　5个3

□＋□＋□＋□＝□　□＋□＋□＝□　＿＿＿＿＿＿

2.

（　）个（　）

加法算式：＿＿＿＿＿＿＿＿＿＿＿＿＿＿＿＿＿

乘法算式：＿＿＿＿＿＿＿＿或＿＿＿＿＿＿

3. 把下面的加法算式改写成乘法算式。

7＋7＋7＋7＋7　　□×□ 或 □×□

15＋15＋15　　□×□ 或 □×□

48

练习九

1.

（　　）个（　　）　　　　　　（　　）个（　　）

加法算式：_____　　　加法算式：_____

乘法算式：____或____　　　乘法算式：____或____

2. 先按要求画 ●，再写算式。

（1）每组画2个，画3组。　　　（2）每组画4个，画5组。

加法算式：_____　　　加法算式：_____

乘法算式：____或____　　　乘法算式：____或____

3. 把加法算式改写成乘法算式。

$4+4+4=\boxed{}\times\boxed{}$　　　$3+3+3+3=\boxed{}\times\boxed{}$

$6+6+6+6=\boxed{}\times\boxed{}$　　　$4+4+4+4+4+4=\boxed{}\times\boxed{}$

$2+2+2+2+2=\boxed{}\times\boxed{}$　　　$5+5=\boxed{}\times\boxed{}$

4. 读一读。

4×5　　6×3　　5×2　　2×4　　5×6　　3×3　　6×4

5.

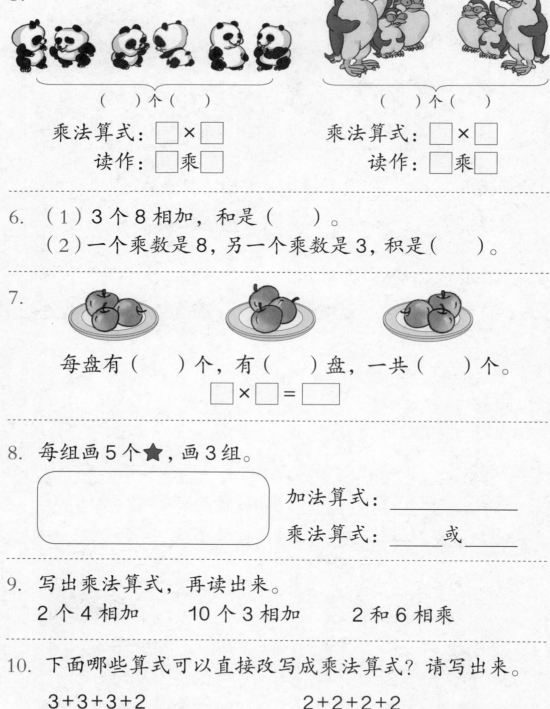

（　　）个（　　）　　　　　　（　　）个（　　）
乘法算式：□×□　　　　　乘法算式：□×□
读作：□乘□　　　　　　　读作：□乘□

6. （1）3个8相加，和是（　　　）。
　　（2）一个乘数是8，另一个乘数是3，积是（　　　）。

7.

每盘有（　　）个，有（　　）盘，一共（　　）个。
□×□=□

8. 每组画5个★，画3组。

　　　　　　　　　　　　　　加法算式：＿＿＿＿＿＿＿＿

　　　　　　　　　　　　　　乘法算式：＿＿＿＿或＿＿＿＿

9. 写出乘法算式，再读出来。
　　2个4相加　　　10个3相加　　　2和6相乘

10. 下面哪些算式可以直接改写成乘法算式？请写出来。

　　3+3+3+2 ＿＿＿＿＿＿　　　2+2+2+2 ＿＿＿＿＿＿

　　5+5+5+5+5 ＿＿＿＿＿　　　8+8+2+5 ＿＿＿＿＿＿

　　3+2+1+3 ＿＿＿＿＿＿　　　4+4+4-3

11. 5+27+65=   86-(20+46)=   96-60-28=
    63+7-50=   40+(25-9)=   96-(60-28)=

12. 连一连。

3×2

6×4

3+3

3 个 2 相加

3+3+5

5×3

6+6+6+6

3×5

3+3+3+3+3

乘数是 4 和 6

4×6

5 乘 3

5+5+5

2+2+2

2×3

4+6

4+4+4+4+4+4

13. 画图表示下面算式的含义。

3×2   5×4

14. 你能用加法算出下面乘法算式的得数吗？
    8×5=   9×4=   15×3=

2. 2 ~ 6 的乘法口诀

5 的乘法口诀

1

一共有多少个福娃?

$5 \xrightarrow{+5} \boxed{} \xrightarrow{+5} \boxed{} \xrightarrow{+5} \boxed{} \xrightarrow{+5} \boxed{}$

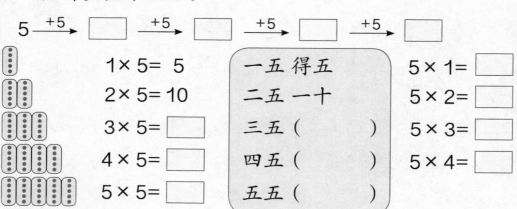

$1 \times 5 = 5$

$2 \times 5 = 10$

$3 \times 5 = \boxed{}$

$4 \times 5 = \boxed{}$

$5 \times 5 = \boxed{}$

| 一五 得五 |
| 二五 一十 |
| 三五 （　　） |
| 四五 （　　） |
| 五五 （　　） |

$5 \times 1 = \boxed{}$

$5 \times 2 = \boxed{}$

$5 \times 3 = \boxed{}$

$5 \times 4 = \boxed{}$

做一做

1. 对口诀。

三五……

十五。

2.

? 元

$\boxed{} \times \boxed{} = \boxed{}$ （　　）

练 习 十

1. 把口诀补充完整。

一五（   ）   三五（   ）   五五（   ）

四五（   ）   二五（   ）

2.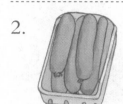

□ × □ = □

口诀：＿＿＿＿＿＿

3.

每头大象运2根木头,5头大象运（   ）根木头。

4. 背出5的乘法口诀。

5. 5×3＝   1×5＝   5×2＝   5×4＝

   5×1＝   5×5＝   4×5＝   2×5＝

6.

每只小兔拔5个 。

3只小兔拔（   ）个。

4只小兔拔（   ）个。

5只小兔拔（   ）个。

2、3、4 的乘法口诀 (一)

2

$1 \times 2 = 2$

$2 \times 2 = 4$

一二 得二
二二 得四

$2 \times 1 = 2$

3

$1 \times 3 = 3$

$2 \times 3 = 6$

$3 \times 3 = 9$

一三 得三
二三 得六
三三 得九

$3 \times 1 = 3$

$3 \times 2 = 6$

做一做

1. 计算并写出口诀。

$3 \times 2 = \boxed{}$　　　　$2 \times 2 = \boxed{}$

口诀：_____　　　口诀：_____

2.

 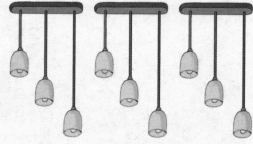

$\boxed{} \times \boxed{} = \boxed{}$　　　$\boxed{} \times \boxed{} = \boxed{}$

4

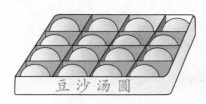
豆沙汤圆

$4 \xrightarrow{+4}$ [   ] $\xrightarrow{+4}$ [   ] $\xrightarrow{+4}$ [   ]

$1 \times 4 = 4$	一四 得四
$2 \times 4 =$ [ ]	二四 ( )
$3 \times 4 =$ [ ]	三四 ( )
$4 \times 4 =$ [ ]	四四 ( )

$4 \times 1 =$ [ ]
$4 \times 2 =$ [ ]
$4 \times 3 =$ [ ]

想一想：$1 \times 1 =$ [ ]   一一 (   )

做一做

1. 对口诀。

一一……   得一。

二三……   得六。   十六。

四四……

2. 吃饭时每人需要一双筷子，4个人需要（   ）根筷子。

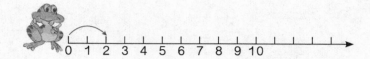

练 习 十 一

1. 边画边说口诀。

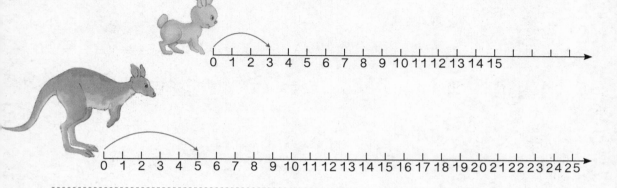

2. 用一句口诀写出两个乘法算式。

二三得六   四五二十   一二得二

_____   _____   _____

_____   _____   _____

3.
$2 \times 2 =$ $3 \times 1 =$ $5 + 3 =$ $3 \times 3 =$

$2 + 2 =$ $1 + 3 =$ $5 \times 3 =$ $3 + 3 =$

4.

$\boxed{} \times \boxed{} = \boxed{}$

口诀：_____

5. 连出小动物的过河路线。

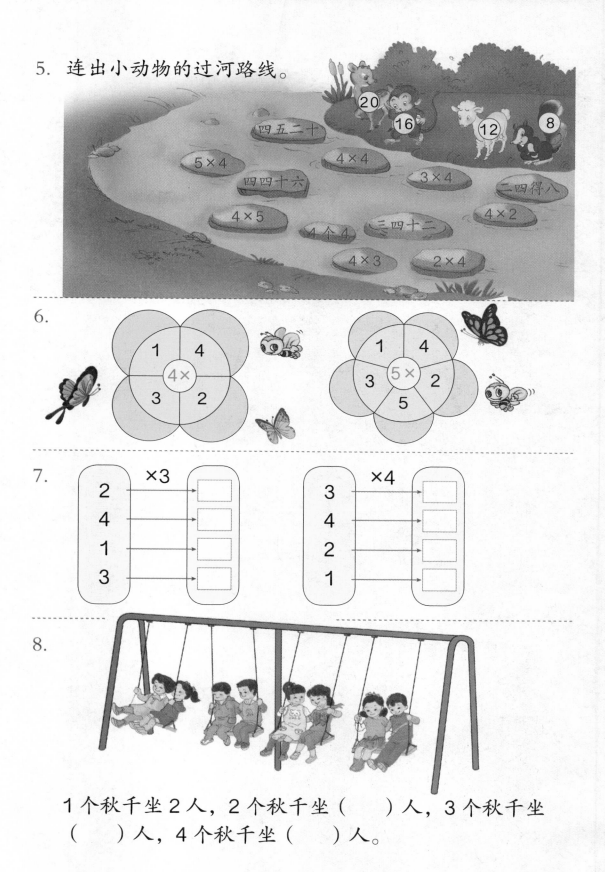

6.

7.

8. 1个秋千坐2人，2个秋千坐（　　）人，3个秋千坐
（　　）人，4个秋千坐（　　）人。

5

一共坐了多少人？

我这样算。

我这样算。

$$3×3+2=11$$ $$3×4-1=11$$

在这样的算式中，要先算乘法。

做一做

1. 看图填写合适的数和运算符号。

$$\boxed{} × \boxed{} \bigcirc \boxed{} = \boxed{}$$

2. $4×3+4=$ $2×3-3=$ $5×5+5=$

   $4×4-4=$ $5×3+2=$ $4×5-4=$

1. $5 \times 3 - 5 =$ $\qquad$ $5 \times 3 + 5 =$ $\qquad$ $5 \times 4 + 5 =$

   $5 \times 2 =$ $\qquad$ $\qquad$ $5 \times 4 =$ $\qquad$ $\qquad$ $5 \times 5 =$

2.

   一共浇多少棵树?

3. $4 \times 2 + 25 =$ $\qquad$ $4 \times 3 + 12 =$ $\qquad$ $2 \times 3 + 2 =$

   $2 \times 2 - 4 =$ $\qquad$ $3 \times 3 - 7 =$ $\qquad$ $4 \times 3 - 2 =$

4. （1）

   一共有多少人?

   （2）

   一共有多少人?

5. 哪个图形中 ▨ 的个数多? 说说你是怎样比较的。

    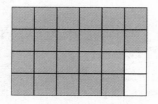

6 的乘法口诀

6

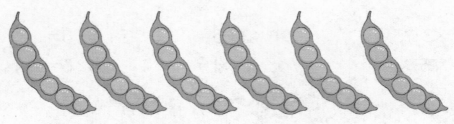

豆荚个数	1	2	3	4	5	6
豆子颗数	6	12				

1×6= ☐

2×6= ☐

3×6= ☐

4×6= ☐

5×6= ☐

6×6= ☐

一六（　　　　）

二六（　　　　）

三六（　　　　）

四六（　　　　）

五六（　　　　）

六六（　　　　）

6×1= ☐

6×2= ☐

6×3= ☐

6×4= ☐

6×5= ☐

做一做

1. 用一句口诀写出两个乘法算式。

　　三六十八　　　　　　五六三十　　　　　　四六二十四

　　_____　　　_____　　　_____

　　_____　　　_____　　　_____

2.

一共有多少个 ☕ ？

练 习 十 三

1. 6×3+6=   6×4+6=   6×5+6=
   6×4=   6×5=   6×6=

2.

3. 4×6-10=   5×6+24=   6×6+6=
   2×6+5=   3×6-7=   3×6-3=

4.

□○□=□（   ）   □○□=□（   ）

5. 1只 6条腿。3只 （   ）条腿，
   6只 （   ）条腿。

6. 看谁算得都对。
   3×6=   1×6=   6×6=
   6×4=   4×3=   3×5=
   5×2=   6×2=   6×5=

7. 填表说口诀。

一二得二。

×	1	2	3	4	5	6
1	1	2				
2	2					
3						
4						
5						
6						

8. 在 ◯ 里填上 "+" "−" 或 "×"。

3 ◯ 3 = 6

3 ◯ 3 = 9

4 ◯ 3 = 12

2 ◯ 6 = 12

5 ◯ 6 = 30

6 ◯ 4 = 2

9.

3 和 4。

2 和 6。

12

几和几相乘得 12 ?

25 24 2 4 6 10 15 20 18 8 16 36 30

10.

一套邮票共 6 枚，
4 套有多少枚？

◎ 数学游戏 ◎

看谁说得又对又快。

小青蛙本领大，吃害虫顶
呱呱，我们都要爱护它。

1 只 🐸 1 张嘴，2 只 眼睛 4 条腿。

2 只 🐸（　　）张嘴，（　　）只眼睛（　　）条腿。

3 只 🐸（　　）张嘴，（　　）只眼睛（　　）条腿。

照这样说，一直说到 6 只 🐸。

7 比较下面两道题，选择合适的方法解答。

（1）有4排桌子，每排5张，一共有多少张？

（2）有2排桌子，一排5张，另一排4张，一共有多少张？

知道了什么？

两题都是求一共有多少张桌子。

第（1）题知道了……

怎样解答？

第（1）题是把4个5加起来。

$5×4=20$（张）

第（2）题是把4和5合起来。

$5+4=9$（张）

两题中都有4和5，为什么解答的方法不同？

画画图就清楚了。

（1）

（2）

口答：一共有 □ 张。　　口答：一共有 □ 张。

解答正确吗？

先检查图画得对不对，再看看算式是不是正确地表示了图的意思。

1. 二年级举行摄影展览。如果每个班要选出 5 张照片，6 个班一共要选多少张照片？

2. 小明和伙伴们租了两条船，一条坐了 4 人，另一条坐了 6 人。一共有多少人？

3. 夺红旗。

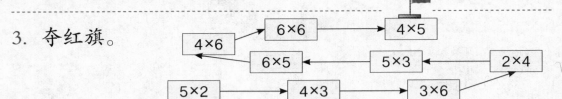

4. 3 位杂技演员表演"顶碗"，每个人都要顶 6 个碗。

    （1）3 人一共要顶多少个碗？

    （2）现在她们各顶了 4 个碗，一个人还要顶几个碗？3 人一共还要顶几个碗？

5. 刘奶奶家养了两种不同的鸡，一种有 3 只，另一种有 6 只。还养了 3 种不同的鸭子，每种有 6 只。

    （1）刘奶奶家养了多少只鸡？

    （2）刘奶奶家养了多少只鸭子？

    （3）你还能提出其他数学问题并解答吗？

6. 在 ○ 里填上 "+" "–" 或 "×"。

    5 ○ 3 = 8

    2 ○ 5 = 10

    1 ○ 5 = 5

    5 ○ 0 = 5

    5 ○ 5 = 10

    5 ○ 4 = 1

    4 ○ 5 = 20

    3 ○ 5 = 15

    5 ○ 5 = 25

7. 小林家阳台上的地砖，横着看每行是 6 块，竖着看每列是 4 块。一共铺了多少块地砖？

8. 汉字"木"的笔画是 4 画。
（1）汉字"森"的笔画是几画？你是怎样知道的？
（2）词语"森林"的笔画一共是几画？你是怎样知道的？

9. 有 3 种丁香花，花瓣分别是 3 瓣、4 瓣和 5 瓣。
（1）5 朵 3 瓣的花共有多少个花瓣？
（2）1 朵 3 瓣的和 1 朵 5 瓣的花共有多少个花瓣？
（3）3 朵 4 瓣的和 1 朵 5 瓣的花共有多少个花瓣？
（4）你还能提出其他数学问题并解答吗？

10.
$2\times2=$	$3\times2=$	$6+4=$	$6\times2=$
$2+2=$	$3+2=$	$6\times4=$	$6+2=$
$2-2=$	$3-2=$	$6-4=$	$6-2=$

11.* 一头亚洲象每个前肢有 5 个脚趾，每个后肢有 4 个脚趾，这头亚洲象一共有多少个脚趾？

1. 在括号里填上不同的数。
$3\times(\quad)=(\quad)\times(\quad)$

2. 在括号里填上相同的数。
$(\quad)\times(\quad)=(\quad)+(\quad)$

1. 在卡片上写出 1~6 的乘法口诀并进行整理，说一说自己是怎样整理的。

一一得一					
一二得二	二二得四				
					六六三十六

（1）上表是小英整理的一部分，说一说小英想要怎样整理，再把余下的口诀补充完整。

（2）任意指一句口诀，说出两个乘法算式。

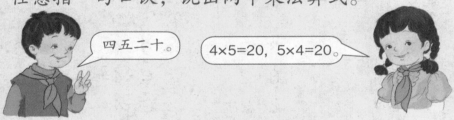

四五二十。

4×5=20, 5×4=20。

2. 用 1~6 的乘法算式卡片摆出一个表，说一说你是按什么规律排列的。

| 1×1=1 |
| 1×2=2 |
| 1×3=3 |
| 1×4=4 |
| 1×5=5 |
| 1×6=6 |

2×2=4
2×3=6

6×2=12
6×1=6
6×5=30
5×3=15
3×5=15
3×4=12
3×6=18
5×6=30
6×4=24
3×3=9
3×1=3
4×3=12
4×2=8
4×1=4
2×1=2
5×4=20
4×5=20
5×5=25
6×3=18
4×6=24
5×2=10

练 习 十 五

1. 看谁算得又对又快。

$3×6=$	$2×6=$	$5×5=$	$6×5=$
$5×3=$	$3×3=$	$2×3=$	$4×4=$
$3×1=$	$4×5=$	$5×2=$	$3×5=$
$6×4=$	$3×4=$	$4×1=$	$4×3=$
$4×2=$	$1×6=$	$6×6=$	$5×6=$

2. $6×3-8=$ $5×4+30=$ $4×4+12=$

   $5×3+9=$ $6×6+6=$ $4×6-4=$

3. 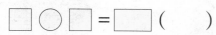 一辆 有4个车轮,5辆这样的车有多少个车轮?

4. 超市里的7号电池有一板装4节的,也有一板装6节的。

   （1）两种电池各买一板，一共多少节电池?

   （2）如果买4板6节装的，一共是多少节电池?

5. 每只小猫钓6条鱼，4只小猫能钓多少条鱼?

   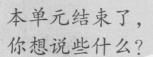 $\Box \bigcirc \Box = \Box$ （   ）

   想一想：7只小猫钓的鱼，比40条多
        还是少?

本单元结束了，
你想说些什么?

我学会了乘法口诀。

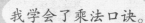

 成长小档案
★★★★

我知道了相同数相
加可以用乘法计算。

小芳

小亮

小明　　小红

下面这些图分别是谁看到的？

做一做

连一连。

2 下面右边的三幅图分别是谁看到的？

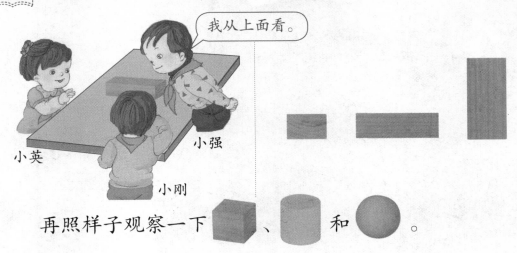

再照样子观察一下 、 和 。

3 看到的立体图形的一个面是正方形，这个立体图形是我们学过的，它可能是什么？

知道了什么？

一个面是正方形。

可能是什么？

可能是正方体，因为正方体的面都是正方形。

猜得对不对？

你猜得对，可能是正方体，还可能是这样的长方体。

练 习 十 六

1. 说一说下面右边的照片分别是谁拍的。

2. 下面右边的三幅图分别是在哪个位置看到的？把相应的序号填在括号里。

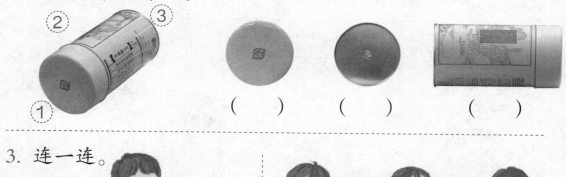

( )　　( )　　( )

3. 连一连。

4. 下面右边的三幅照片分别是在哪个位置拍的？把相应的序号填在括号里。

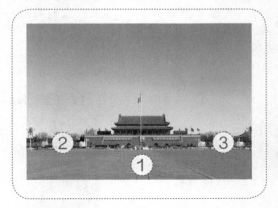

（　　）

（　　）　　　　（　　）

5. 连一连。

换一种摆法，再试试。

本单元结束了，
你想说些什么？

成长小档案

★★★★★

我发现从不同方向观察同一个物体，看到的图形可能不一样。

我以后观察物体的时候，要多从几个方向看一看。

7 的乘法口诀

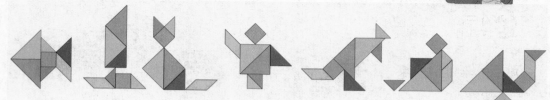

图案个数	1	2	3	4	5	6	7
拼板块数	7						

1×7= 7

2×7= ☐

3×7= ☐

4×7= ☐

5×7= ☐

6×7= ☐

7×7= ☐

一七 得七

二七 （　　）

三七 （　　）

四七 （　　）

五七 （　　）

六七 （　　）

七七 （　　）

7 × 1 = 7

7 × 2 = ☐

7 × ☐ = ☐

7 × ☐ = ☐

7 × ☐ = ☐

7 × ☐ = ☐

做一做

7×4=　　　　5×7=　　　　7×6=

4×7=　　　　7×5=　　　　6×7=

你用的是哪句口诀？

1.

2个星期有多少天？
3个星期呢？

2013 年

2. 7×3=　　　　7×5=　　　　7×6=

7×4=　　　　7×7=　　　　7×2=　　　　7×1=

3. 连一连。

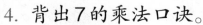

| 21 | 42 | 35 | 28 | 14 |

| 7×6 | 7×3 | 7×4 | 7×2 | 7×5 |

4. 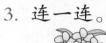 背出7的乘法口诀。

每只骆(luò)驼(tuó)运4箱。

5.

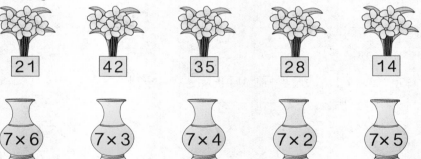

一共运了多少箱？

6. 7×2=   5×6=   6×7=   7×5=
    4×7=   7×7=   7×4=   6×4=
    7×3=   7×6=   6×6=   5×7=
    6×5=   7+6=   3×7=   5+7=

7.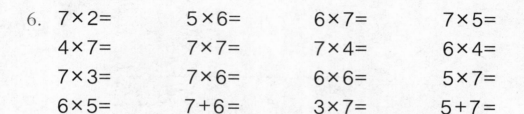

一共有多少桶奶粉?

8. 从"一一得一"背到"七七四十九"。

9.

先提出一个用乘法解决的问题,再解答。

10.   3×7=   6×7=   4×7=
     2×7+7=   5×7+7=   3×7+7=
     4×7-7=   7×7-7=   5×7-7=
    你发现了什么?

数学游戏

你算得快,卡片归你。

五七三十五。

2

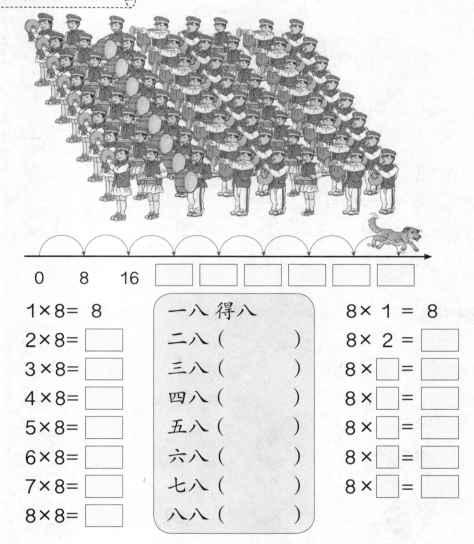

| 0 | 8 | 16 | | | | | | |

1×8= 8　　　　　一八 得八　　　　　8× 1 = 8

2×8= ☐　　　　　二八 （　　　）　　　8× 2 = ☐

3×8= ☐　　　　　三八 （　　　）　　　8×☐ = ☐

4×8= ☐　　　　　四八 （　　　）　　　8×☐ = ☐

5×8= ☐　　　　　五八 （　　　）　　　8×☐ = ☐

6×8= ☐　　　　　六八 （　　　）　　　8×☐ = ☐

7×8= ☐　　　　　七八 （　　　）　　　8×☐ = ☐

8×8= ☐　　　　　八八 （　　　）

做一做

1. 五八 （　　　　）　　二八 （　　　　）　　八八 （　　　　）

　　（　）八二十四　　　（　）八四十八　　（　）八五十六

2. 8×3=　　　　4×8=　　　　8×6=　　　　7×8=

　　5×8=　　　　8×2=　　　　3×8=　　　　8×8=

　　说一说计算每一题用的是哪句口诀。

练 习 十 八

1.

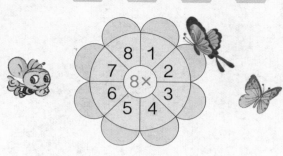

2.

□ × □ = □

3. 4×8=　　　2×8=　　　6×8=　　　7×6=

　　5×8=　　　7×8=　　　3×8=　　　7×5=

　　6×6=　　　3×6=　　　8×8=　　　4×7=

4. 找玩具。

5. 背出 8 的乘法口诀。

6. 口答：1 只螃（páng）蟹（xiè）8 条腿，
　　2 只螃蟹多少条腿？ 3 只呢？ 4 只呢？
　　5 只、6 只、7 只、8 只呢？

7.

4 3 6 8	×8	□ □ □ □
2 6 5 8	×7	□ □ □ □
6 5 4 3	×6	□ □ □ □

8. $8×2=$ $7×3=$ $8×6=$ $2×8=$

   $6×5=$ $8×4=$ $7×5=$ $4×4=$

   $5×8=$ $8×3=$ $8×7=$ $6×4=$

9. 从"一一得一"背到"八八六十四"。

10.

 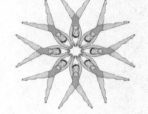 

一共有多少人？

11. $6×8=$ $8×3=$ $5×8=$

   $5×8+8=$ $8×2+8=$ $6×8-8=$

   $7×8-8=$ $8×4-8=$ $4×8+8=$

你发现了什么？

12.

由上图你能提出什么数学问题？你会解答吗？

买 3 个 ，一共多少钱？

知道了什么？

知道了一些文具的价钱。

要求 3 个文具盒一共多少钱。

怎样解答？

解决这个问题，需要哪些信息？

8元　8元　8元

共？元

1 个文具盒 8 元，3 个文具盒就是 3 个 8 元。

可以用乘法计算。

$8 × 3 = 24$（元）

解答正确吗？

口答：一共 ☐ 元。

求 3 个文具盒的总钱数，可以用 1 个文具盒的价钱乘买的个数。

想一想：买 7 块 ▱，一共多少钱？

☐ × ☐ = ☐（　　）

口答：一共 ☐ 元。

你还能提出其他用乘法解决的问题并解答吗？

练习十九

1. （1）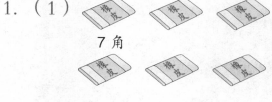

   7角

   （2）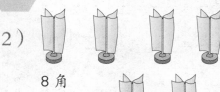

   8角

   □ × □ = □（角）　　　□ × □ = □（角）

   分别是几元几角呢？

2. $7 \times 5 =$　　　$4 \times 8 =$　　　$3 \times 6 =$　　　$8 \times 7 =$

   $2 \times 6 =$　　　$4 + 8 =$　　　$8 \times 3 =$　　　$8 + 7 =$

   $8 + 8 =$　　　$7 \times 7 =$　　　$5 \times 6 =$　　　$7 \times 4 =$

3. 一套《童话故事》共有 8 本，每本 7 元。小亮买一套，需要多少钱？

4.

   我买7盒。

   每盒5元。

   5元　6元　8元

   （1）一共要多少钱？

   （2）你还能提出其他用乘法解决的问题并解答吗？

5.

   我们全家人一共要多少钱？

   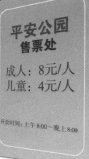

   平安公园售票处

   成人：8元/人

   儿童：4元/人

   开放时间：上午8:00~晚上8:00

4

| 0 | 9 | 18 | □ | □ | □ | □ | □ | □ | □ |

1×9 = 9　　　　一九 得九　　　　9 × 1 = 9

2×9 = □　　　　二九（　　）　　　9×□ = □

3×9 = □　　　　三九（　　）　　　9×□ = □

4×9 = □　　　　四九（　　）　　　9×□ = □

5×9 = □　　　　五九（　　）　　　9×□ = □

6×9 = □　　　　六九（　　）　　　9×□ = □

7×9 = □　　　　七九（　　）　　　9×□ = □

8×9 = □　　　　八九（　　）　　　9×□ = □

9×9 = □　　　　九九（　　）

做一做

2×9 =　　　6×9 =　　　7×9 =　　　9×9 =

9×8 =　　　9×3 =　　　9×5 =　　　9×4 =

练习二十

1.

2.
$5 \times 9 =$　　　　　$6 \times 9 =$　　　　　$4 \times 9 =$

$3 \times 9 =$　　　　　$2 \times 9 =$　　　　　$1 \times 9 =$

$9 \times 9 =$　　　　　$7 \times 9 =$　　　　　$8 \times 9 =$

3. 对号停车。

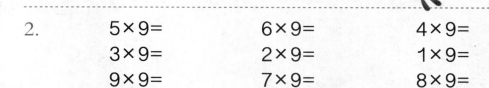

4. 在下表中圈出 9×1、9×2、9×3……9×9 的积。

1	2	3	4	5	6	7	8	9	10
11	12	13	14	15	16	17	18	19	20
21	22	23	24	25	26	27	28	29	30
31	32	33	34	35	36	37	38	39	40
41	42	43	44	45	46	47	48	49	50
51	52	53	54	55	56	57	58	59	60
61	62	63	64	65	66	67	68	69	70
71	72	73	74	75	76	77	78	79	80
81	82	83	84	85	86	87	88	89	90

仔细观察 9 乘几的各个积，你发现了什么？

5. 背出 9 的乘法口诀。

6.
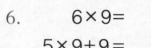

6×9=	9×4=	8×9=
5×9+9=	9×3+9=	9×9−9=
7×9−9=	9×5−9=	7×9+9=

你发现了什么？

7. （1）

 □ × □ = □   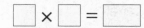 □ × □ = □

（2）
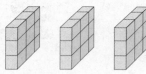

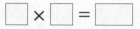 □ × □ = □

8.

5 米

? 米

□ × □ = □ （   ）

9. 从"一七得七"背到"九九八十一"。

10.

（1）9只脚踏（tà）船最多可坐多少人？

（2）你还能提出其他用乘法解决的问题并解答吗？

11. 在（ ）里填上适当的数。

10 19 28 （　　）（　　）（　　）（　　）（　　）（　　）

12. 两个小组浇树。第一小组有7个同学，每人浇了9棵树，第一小组一共浇了多少棵树？第二小组比第一小组多浇了7棵树，第二小组一共浇了多少棵树？

13.* 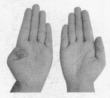 这种布9元一米，您要多少米？

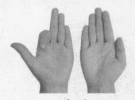 我要10米。

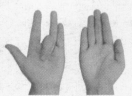 一共需要多少钱呢？

◆ 数学游戏 ◆

用双手表示9的乘法口诀

一九得九　　　　二九十八　　　　三九二十七

仔细观察上图，每一句口诀是怎样用手指表示的？弯曲的手指左边的手指个数，表示什么？弯曲的手指右边的手指个数，表示什么？

你能用手指表示出9的其他几句乘法口诀吗？

思考一下，你能说出其中的道理吗？

5 二（1）班准备租车参观科技馆。有 2 名教师和 30 名学生，租下面的客车，坐得下吗？

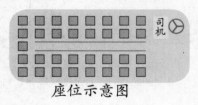

座位示意图

知道了什么？

知道有 2 名老师和 30 名学生……

问租这辆车能不能坐下。

怎样解答？

先算出乘客座位数，才能知道……

前面每排 4 个座位，最后一排 5 个，一共有……

$4×7=28$（个）
$28+5=33$（个）

也可以先分别算出左边和右边有多少个座位，再加上……

$2×7=14$（个）
$2×7=14$（个）
$14+14+5=33$（个）

解答正确吗？

学生和老师一共 32 人。客车有 33 个座位，坐得下。

做一做

幼儿园 35 个小朋友每人吃 1 个鸡蛋，这些鸡蛋够吗？

練 習 二 十 一

1. 计算。

8×3=　　　　5×7=　　　　6×6=　　　　4×9=

2.
一件衬衣用 9 个扣子，6 件用多少个扣子？

3. 李叔叔运来 30 盆鲜花，他想摆出像右面这样的一个花坛，这些花够吗？

4. 在空格里填出每两个数的积，看谁能全填对。

×	1	2	3	4	5	6	7	8	9
7	7								
8			24						
9					45				

5. 6×9+5=　　　　7×5-12=　　　　3×5-15=

   8+7-6=　　　　9×9-3=　　　　8×7+6=

6.

车头用了 8 个车轮。

小亮一共有 40 个车轮，他能组装出一列有 6 节车厢的小火车吗？为什么？

7.* （ ）里最大能填几？

（ ）×4 < 29　　　45 > 5×（ ）　　　7×（ ） < 50

（ ）×8 < 55　　　40 > （ ）×9　　　6×（ ） < 55

整理和复习

1. 在卡片上写出学过的乘法口诀并进行整理，说一说自己是怎样整理的。

2. 下面是亮亮整理的乘法口诀表，仔细观察并回答问题。

乘法口诀表

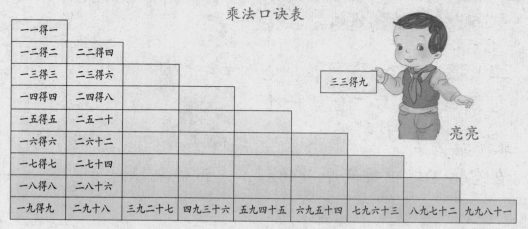

一一得一								
一二得二	二二得四							
一三得三	二三得六							
一四得四	二四得八							
一五得五	二五一十							
一六得六	二六十二							
一七得七	二七十四							
一八得八	二八十六							
一九得九	二九十八	三九二十七	四九三十六	五九四十五	六九五十四	七九六十三	八九七十二	九九八十一

三三得九

亮亮

（1）说一说亮亮是怎样整理的，再把余下的口诀补全。

竖着看，第一列都是……

横着看……

（2）任意指一句乘法口诀，说出用它计算的乘法算式。

我们学习的乘法口诀，在我国两千多年前就有了。

那时把口诀刻在"竹木简"上。

◎ **你知道吗？** ◎

从"九九八十一"开始的，所以也叫"九九歌"。

七百多年前才倒过来，从"一一得一"开始。

1. 用硬纸照右图把两个圆钉在一起，并写上数。转动一个圆，使里外每两个数对齐，说出每两个数乘得的积。

2.
6×7=	9×4=	39+8=	9×9=
6×4=	5×6=	3×7=	4×8=
23-7=	7×9=	9×8=	43+20=

3. 张阿姨在快餐店买了一些套餐（如右表）。每种套餐各花多少钱？一共花了多少钱？

套餐	每份价格	份数	钱数
A	8元	3	
B	5元	4	
C	7元	6	

4. 计算。

6×9=

8×7=

45+54=

83-26=

5.

小布

价目表	
小火车	5元/人
过山车	8元/人
钓　鱼	4元/人
旋转木马	6元/人

（1）小布想玩一次过山车和一次旋转木马，共需多少钱？

（2）8个小朋友玩一次旋转木马，他们一共花了多少钱？

（3）你还能提出其他用乘法解决的问题并解答吗？

本单元结束了，你想说些什么？

成长小档案

画图解决问题真是一个好办法呢！

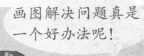

有了乘法口诀，算乘法就快多了！

量一量，比一比

有一条鳄（è）鱼身长6米，你们会用合适的方式描述这个长度吗？

一个人的肩宽大约是30厘米，20个人并排站着和鳄鱼差不多长。

5名学生手拉手，和鳄鱼差不多长。

选择下表中的一种动物，像上面这样，用你自己的方式把这种动物的身高或身长表示出来。

长颈鹿身高	6米
鸵鸟身高	2米50厘米
企鹅身高	1米30厘米
鲸身长	26米
巨蟒（mǎng）身长	10米
壁虎身长	12厘米

所选动物：

_____

测量标准：

_____

测量结果：

_____

7 认识时间

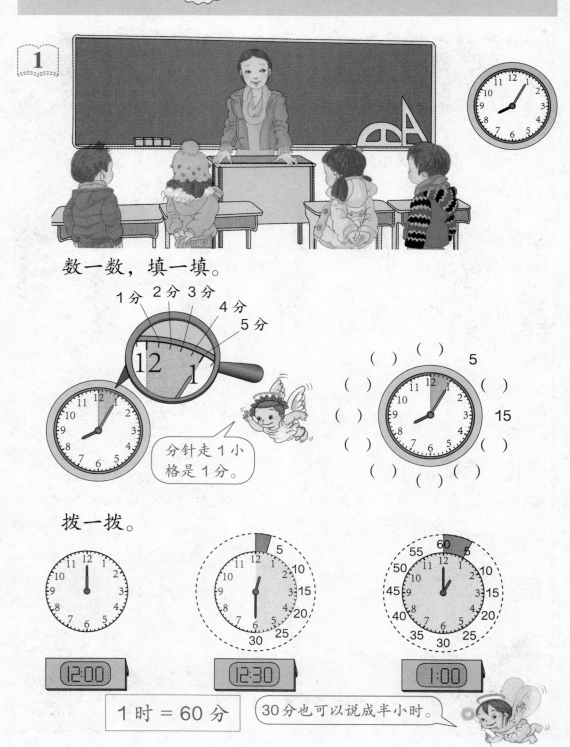

数一数，填一填。

1分 2分 3分 4分 5分

分针走1小格是1分。

拨一拨。

1时 = 60分

30分也可以说成半小时。

2 从 4 时开始数。

4 时 5 分　　　4 时 30 分或 4 时半　　4 时 45 分

时针走过数字 4，分针从 12 起走了多少个小格，就是 4 时多少分。

做一做

7:15　　　_____　　_____　　_____

_____　　_____　　_____　　_____

2011年12月18日

升旗　上午 7：30

降旗　下午 4：51

X082453　　▶　　吉林售
2012年12月23日 06：00开　02车009号
二等座
吉 林　D5010次　长 春
JiLin　　　　　　　　ChangChun
￥32.00元　　折
限乘当日当次车
＊＊＊
22020 ＊＊＊＊ ＊＊＊＊ ＊＊＊＊
8305-9000-0203-03X0-8245-3　　和谐号

我做完作业后才去踢球。

明明，10:30我们还要一起去看木偶剧。

做完作业啦！

明明可能在下面哪个时间去踢球？把它圈出来。

知道了什么？

知道了明明做完作业要去踢球……

还要圈出他去踢球的时间。

怎样解答？

我来写一写。

我来想想：明明9:00做完作业，10:30要去看木偶剧，踢球的时间肯定不是……

7:45   9:15   10:50
 ×   ×

做完作业 9:00
踢球 9:15
看木偶剧 10:30

应该是9:15去踢球。

解答正确吗？

9:00 ⟶ 9:15 ⟶ 10:30
做完作业 踢球 看木偶剧

对了。

1. 填空。

7:05

2. 连线。

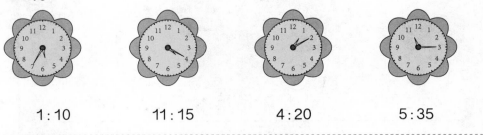

1:10　　　11:15　　　4:20　　　5:35

3.

11 时 25 分。　　　9 时 5 分。

4.

咱们 8:30 开始大扫除，然后去大棚摘西红柿。

我 12:30 要去小文家玩。

小红可能在什么时间去摘西红柿？圈一圈。

5.

亮亮的活动时间表

时间	3:00~3:20	3:30~4:00	4:10~4:35	4:45~5:30
活动	读书	练琴	做作业	玩

把时间和相应的活动连起来。

读书　　　　练琴　　　　做作业　　　　玩

6.（1）把你每天的作息时间填入下表。

起床	上学	午饭	放学回家	看电视	晚饭	睡觉
6:50						

（2）根据完成的上表，和同桌之间互相提几个数学问题并解答。

我早晨 5:00 可能在外面玩吗？

94

7. 填空。

（1）分针从 12 走到 6，走了（　）分。

（2）时针从 12 走到 6，走了（　）时。

（3）分针从 3 走到 10，走了（　）分。

（4）时针从 12 开始绕了一圈又走回 12，走了（　）时。

8. 你发现了什么规律？画出最后一个钟面的时针和分针。

_____   _____   _____   _____

15 分也可以说成一刻。

9. 连一连。

上午

中午

下午

晚上

10.

过 5 分是　　　过 10 分是　　　过一刻是　　　过半小时是

_____　　_____　　_____　　_____

11. 看图讲故事。

离开家

我们上午 9:30 出发。

到达冰雪乐园

滑雪

滑冰

吃午饭

本单元结束了，
你想说些什么？

我会认识几时几分了。

解答例 3 很有趣！

8 数学广角——搭配（一）

1 用1、2和3组成两位数，每个两位数的十位数和个位数不能一样，能组成几个两位数？

能组成 □ 个两位数。

怎样做才能不重不漏？

做一做

用 ■、■ 和 ■ 3种颜色给地图上的两个城区涂上不同的颜色，一共有多少种涂色方法？

北城	南城

2 有 3 个数 5、7、9，任意选取其中 2 个求和，得数有几种可能？

我用填表的方法试试，先取 5 和 7。

加数	加数	和
5	7	12

我这样试一试。

5 加 7 等于 7 加 5，只填一种就可以了。

加数	加数	和
5	7	12
7	5	12

哦！两个数的和与顺序没关系！

得数有 ☐ 种可能。

做一做

1.  每两个人握 1 次手，3 人一共握几次手？

2. 买 1 个拼音本，可以怎样付钱？

5 角

练 习 二 十 四

1. 2名同学坐成一排合影，有多少种坐法？3名呢？

2. 从右面3本书中选2本，
   送给小丽、小清各1本，
   一共有多少种送法？

3. 有几种穿法？

每次上衣穿1件，
裤子穿1条。

4. 从下面3枚硬币中取硬币，一共可以取出多少种不同的
   币值？

本单元结束了，
你想说些什么？

我发现有些问题要
考虑排列的顺序。

成长小档案

★★★★
★★★★

我发现有条理地思
考问题，又全面又
简便。

9 总复习

这学期学习了什么？

学习了乘法。

2×3＝6
口诀：二三得六

认识了各种角。

学习了笔算加、减法。

35
+47

学会了观察物体。

学习中最有趣的事情是什么？

有的加法用乘法算式表示比较简便。

2+2+2+2+2+2+2＝16
2×8＝16

猜动物身高的活动很有意思。

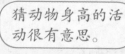

100

1. （1）笔算两位数加、减法应注意什么？

　（2）计算下面各题。

$28+59=$　　$19+32=$　　$47+25=$　　$23+37=$

$30-26=$　　$61-18=$　　$96-39=$　　$70-24=$

2. 仔细观察，在空格里填上相应的积。

×	1	2	3	4	5	6	7	8	9
1	1								
2		4							
3			9						
4				16					
5					25				
6						36			
7							49		
8								64	
9									81

（1）任意指一个积，说出所用的乘法口诀。

（2）观察每行或者每列数，你能发现什么规律？

（3）下面的表格是上表中的一部分，请把它们填完整。

3.

4.

（1）南瓜有几个？冬瓜比南瓜多5个，冬瓜有几个？

（2）你还能提出其他数学问题并解答吗？

5. 在括号里填上厘米或米。

床长1（　　　）90（　　　）　　　书宽15（　　　）　　　　　树高6（　　　）

6. （1）右面的图形里有几个角？哪几个角是直角？

（2）在图形里加画一条线段，使它增加3个直角。

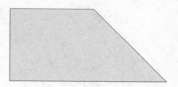

7. 连一连。

1. 78+16=   54+29=   36+58=   62+31=

   47-29=   61-34=   73-43=   90-27=

   40-17=   52+34=   93-46=   38+47=

2.   29+35+9=   97-25-47=   53-9-37=

   75-46+31=   48+26-39=   53-(9+37)=

3. 海洋馆里有 13 条黄金神仙鱼，花面神仙鱼比黄金神仙
   鱼多 9 条，透红小丑鱼比黄金神仙鱼少 8 条。

   （1）花面神仙鱼有多少条？两种神仙鱼共有多少条？
   （2）你还能提出其他数学问题并解答吗？

4. 四七（   ）   八（   ）七十二   （   ）八二十四

   六九（   ）   五（   ）三十   （   ）八五十六

   7×9=   6×7=   5×4=   3×6=   4×6=

   4×9=   6×8=   5×9=   5+8=   9-6=

5. 在○里填上"+""-""×"或">""<""="。

   4○6=24   25+8○35   2×6○12   4×9○34

   30○6=24   34-20○15   5×7○32   8×9○73

103

6. $5×7+20=$ $7×9+17=$ $6×8+30=$
   $7×9-9=$ $6×7-34=$ $9×6-38=$

7.

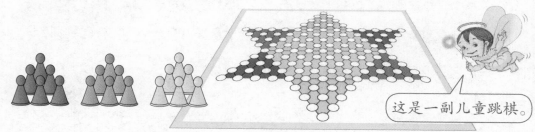

这是一副儿童跳棋。

一共有多少枚棋子?

8.

4元   7元   8元

（1）买6本故事书和1本科学世界一共要花多少钱?

（2）买5本连环画和1本科学世界，50元钱够吗?

（3）你还能提出其他数学问题并解答吗?

9. 将正确答案的序号填在(   )里。

（1）下面可以用来计量物体长度的单位是(   )。
     ①米   ②角   ③分   ④时

（2）教学楼大约高15(   )。
     ①米   ②厘米   ③分   ④元

（3）一节课40(   )。
     ①米   ②分   ③元   ④时

10. 先估计下面两条线段大约有多长，再量一量实际长多少厘米，填在括号里。

　　　　　　　　　　（　　　　）

　　　　　　　　　　　　（　　　　）

11. 以右边的点为顶点，分别
　　画一个锐角、直角和钝角。　　　　·　　·　　·

12. 写出相应的时间，画出缺少的分针。

　过 10 分　　　　　　　过 30 分

_____　　　　　　　　　　_____

13. 连一连。

14.

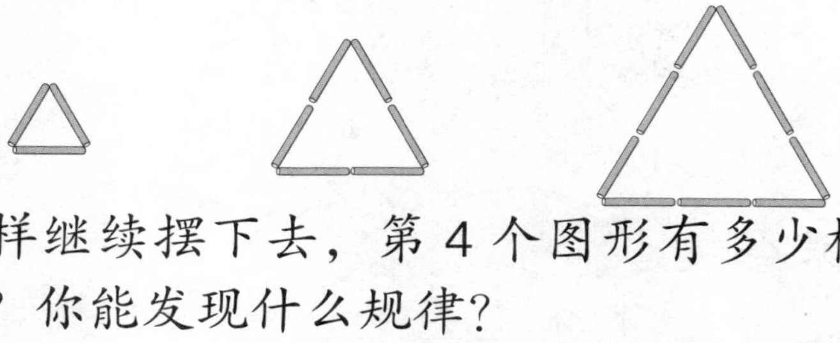

　　像这样继续摆下去，第 4 个图形有多少根小棒？第 7
　　个呢？你能发现什么规律？

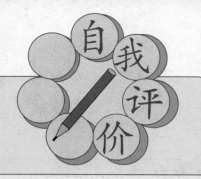

自我评价

同学们，这学期要结束了，给自己的表现画上小红花吧！

学习表现	🌼🌼🌼	🌼🌼	🌼
喜欢学习数学			
愿意参加数学活动			
上课专心听讲			
积极思考老师提出的问题			
主动举手发言			
喜欢发现数学问题			
愿意和同学讨论学习中的问题			
敢于把自己的想法讲给同学听			
认真完成作业			

你觉得自己还应该在哪些方面更努力些？

106

乘法口诀表

一一得一								
一二得二	二二得四							
一三得三	二三得六	三三得九						
一四得四	二四得八	三四十二	四四十六					
一五得五	二五一十	三五十五	四五二十	五五二十五				
一六得六	二六十二	三六十八	四六二十四	五六三十	六六三十六			
一七得七	二七十四	三七二十一	四七二十八	五七三十五	六七四十二	七七四十九		
一八得八	二八十六	三八二十四	四八三十二	五八四十	六八四十八	七八五十六	八八六十四	
一九得九	二九十八	三九二十七	四九三十六	五九四十五	六九五十四	七九六十三	八九七十二	九九八十一

后 记

　　本册教科书是人民教育出版社课程教材研究所小学数学课程教材研究开发中心依据教育部《义务教育数学课程标准》（2011年版）编写的，经国家基础教育课程教材专家工作委员会2013年审查通过。

　　本册教科书集中反映了基础教育教科书研究与实验的成果，凝聚了参与课改实验的教育专家、学科专家、教研人员以及一线教师的集体智慧。我们感谢所有对教科书的编写、出版提供过帮助与支持的同仁和社会各界朋友，以及整体设计艺术指导吕敬人等。

　　本册教科书出版之前，我们通过多种渠道与教科书选用作品（包括照片、画作）的作者进行了联系，得到了他们的大力支持。对此，我们表示衷心的感谢！但仍有部分作者未能取得联系，恳请入选作品的作者与我们联系，以便支付稿酬。

　　我们真诚地希望广大教师、学生及家长在使用本册教科书的过程中提出宝贵意见，并将这些意见和建议及时反馈给我们。让我们携起手来，共同完成义务教育教材建设工作！

联系方式

电　　话：010-58758308

电子邮件：jcfk@pep.com.cn

人民教育出版社 课程教材研究所
小学数学课程教材研究开发中心
2013年5月